Christof Baur / Bernd Thurner

15-MINUTEN -
LOOPTRAINING

voor een superfit lichaam

Deltas

Inhoud

Is uw ideaal een superlichaam, wilt u toch weer een betere conditie krijgen, uw natuurlijke afweer versterken; wilt u zich tegelijkertijd ontspannen – en daarbij ook nog plezier hebben? Om deze droom te laten uitkomen hoeft u maar één ding te doen: lopen!

He
wondermiddel
lopen

Begin een nieuw leven!

Vast en zeker zijn er ook in uw vriendenkring enthousiaste hardlopers die u onvermoeibaar de voordelen van de natuurlijkste vorm van bewegen, het lopen, kunnen opsommen. En die vrienden hebben gelijk: lopen is het beste dat u voor uzelf, voor uw gezondheid en voor uw figuur kunt doen. En dit zonder dat u zich hoeft af te matten!

Dit boek helpt u om het plezier en het enthousiasme voor het lopen te herontdekken. Als kind bezat u dat vermogen reeds. Niemand hoefde u aan te sporen om toch wat meer beweging te nemen, af te vallen of iets voor uw gezondheid te doen. U kon niet anders dan lopen, springen en spelen. Toen legde u met gemak tien kilometer per dag te voet af. De behoefte om te bewegen, om te lopen, zit in de genen van de mens. Ieder gezond mens kan lopen. Hij is daarvoor gebouwd. De natuur gaf u twee benen die niet bedoeld waren om te zitten, te staan of te liggen, maar om mee te lopen. Daarom hebt u gewrichten. De enkel-, knie- en heupgewrichten maken beweging mogelijk.

Bewegen is leuk. Ook al zegt u nu: 'Ik kan niet lopen. Ik ben te dik, te oud en te ongetraind'. Dat is allemaal onbelangrijk! Onder onze leiding kan iedereen weer leren lopen. En met hetzelfde plezier als uit uw kinderjaren.

Met lopen kunt u op ieder moment beginnen, (vooral) ook als u een paar klootjes te zwaar bent.

Het belangrijkste is: motivatie

'Kunnen jullie mij trainen voor een marathon?' vroeg ons de journalist Peter H. op een dag. Omdat hij een artikel moest schrijven wilde hij leren lopen. Hoeveel ervaring had hij, en hoelang hij al aan hardlopen deed, was onze wedervraag. 'Totaal onsportief, met een buikje', was het antwoord. Toen hij ons bovendien nog liet weten dat de marathon al binnen negen weken gepland was, probeerden wij hem eerst met beide benen terug op de grond te zetten, hem verzekerend dat dit onmogelijk was.

Maar omdat Peter erop stond deze uitdaging aan te gaan, zegden wij hem uiteindelijk onze medewerking toe. Medisch onderzoek door de internist, de orthopeed en de fysiotherapeut bracht Peters gezondheidstoestand in kaart. De uitslag van de uithoudingsdiagnostiek strookte volledig met de verwachtingen: Peters lichaam was totaal ongetraind!

Negen weken intensieve training met lopen, fietsen, in-line skating en krachttraining had echter een verrassend resultaat: zijn uithoudingsvermogen was met dertig procent verbeterd en hijzelf woog vier kilo minder! Eenmaal bij de start van de marathon aangeland, was geen van ons zeker of het doel wel bereikt zou worden. Maar wat wij negen weken geleden nog niet voor mogelijk hadden gehouden, werd waarheid: Peter kwam na 4 uur en 56 minuten aan de finish! Zonder te hebben hoeven pauzeren of wandelen, maar met veel wilskracht en motivatie. Sindsdien weten wij: lopen is een waar wondermiddel.

Wat de journalist Peter H. gepresteerd had, logenstraft alle geldende ideeën. Niet één trainer of medicus zou veel ingezet hebben op Peter, en wij evenmin! Gewoonlijk wordt voor een marathon uitgegaan van een voorbereidingstijd van een jaar. Hoewel wij iedereen afraden om deze proef voor zichzelf te herhalen, toont het anderzijds welk potentieel in ieder van ons sluimert.

Wat doet lopen?

Als er een klein blauw pilletje bestond dat kan bewerkstelligen wat lopen vermag, dan zou dat tabletje onbetaalbaar zijn. Een superlichaam hoeft geen droombeeld meer te blijven – door regelmatig hard te lopen bent u op de beste weg naar uw ideale figuur. Bij een superlichaam hoort natuurlijk ook een uiterlijke gestalte. Lopen verandert blijvend uw figuur, omdat het uw lichaam erbij helpt om overtollige vetdepots af te breken.

Maar een superlichaam in de ware zin van het woord onderscheidt zich niet door wat men aan de buitenkant ziet, maar vooral door het vermogen van de inwendige organen. Zij beslissen bijvoorbeeld hoe oud u wordt, en hoe vaak u ziek bent. Ook hier kan lopen wonderen verrichten. Uit onderzoeken blijkt dat hardlopers minder rugklachten hebben, beter met stress kunnen omgaan, en meer ontspannen en intelligenter zijn. Lopers zijn gelukkiger mensen. En het beste is: het kost niets. Grijp dit wondermiddel. Laat het loopvirus u aansteken!

Lopen maakt slank

U hoeft zich geen zorgen te maken: u hoeft de marathon niet te lopen. Het verhaal van Peter H. moet u sterken in het geloof dat u echt veel kunt bereiken. Zo kunt u bijvoorbeeld eindelijk van die overtollige pondjes afkomen: blijvend! Van alle sporten verbruikt lopen zowat de meeste energie per tijdseenheid. Een man van 75 kilo verbruikt bij een duurloop van 15 minuten zo'n 150 kilocalorieën. Als hij iedere dag loopt, zijn dat ongeveer 1000 kilocalorieën per week. Dat heeft gevolgen voor de stofwisseling. Vet wordt minder als reserve in het onderhuidse vetweefsel opgeslagen, maar in de spieren verbrand. Regelmatig trainen verhoogt het metabolisme, dat is de hoeveelheid energie die uw lichaam in rust verbruikt. U verbrandt dus ook energie als u languit op de bank ligt niets te doen.

De enige duurzame strategie voor gewichtsverlies is de combinatie van regelmatig lopen met een consequente verandering van het voedingspatroon.

 ## Om te onthouden

De belangrijkste tips om af te vallen

1. Blijf uit de buurt van extreme diëten!

Een streng dieet bewerkstelligt vaak precies het tegenovergestelde van wat u wilt bereiken. Op korte termijn valt men snel af, maar op lange termijn wordt men vaak dikker in plaats van slanker. Waarom? Een dieet betekent voor uw lichaam een crisistoestand. Zolang deze voortduurt spreekt uw lichaam weliswaar de vetvoorraden aan, maar nadien treedt er vaak een jojo-effect op waardoor het meer vet opslaat als bescherming voor volgende crises, tenminste wanneer men lichamelijk inactief blijft.

2. Geef uzelf de tijd

Lopen verandert uw gewicht niet van vandaag op morgen, maar wel blijvend. De vetreserves die u door trainen hebt verbrand, blijven weg.

3. Matig, maar regelmatig

U bent gemotiveerd? Prima, want u zult die motivatie nodig hebben. Maar ook nog over twee maanden. Doe het in het begin rustig aan, houd u wat in.

4. Loop langzaam

Langzaam lopen stimuleert de vetverbranding. Lang lopen tegen uw prestatiegrens aan verhoogt de kans op blessures.

Lopen houdt jong

Ieder van ons kan potentieel 120 jaar worden. Dat de meesten onder ons niet zo oud worden is eenvoudig te verklaren: men sterft voordien aan een of andere ziekte. Hart- en vaataandoeningen samen met kanker staan helemaal boven aan de lijst van doodsoorzaken en zijn er de oorzaak van dat wij onze natuurlijke ouderdomsgrens niet bereiken. In 1995 waren die ziekten in 73 procent de doodsoorzaak van alle sterfgevallen, voor 72 procent bij mannen, bij vrouwen voor 76 procent. U kunt dit veranderen! Levensbedreigende ziekten zijn niet altijd onafwendbaar, maar zijn vaak een gevolg van te weinig beweging, slechte voeding en te veel stress. Allemaal factoren, die u zelf kunt beïnvloeden en veranderen. Lopen is beweging en is tegelijkertijd ontspannend. Lopers veranderen dikwijls vanzelf hun voedingspatroon en leven daardoor gezonder.

Vrouwen

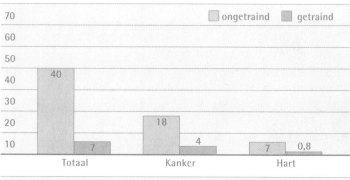

Mannen

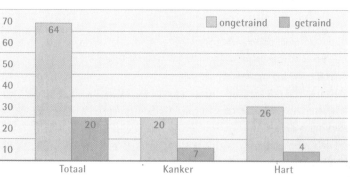

De grafieken op de bladzijde hiernaast laten duidelijk zien dat getrainde mensen minder vaak aan hart- en vaatziekten lijden. Gedurende meer dan acht jaar werden 13.344 mensen in een studie gevolgd. Het resultaat was eenduidig: hoe beter het uithoudingsvermogen bij een looptest, des te lager de kans op ziekte. Wat we allang wisten voor hart- en vaatziekten, wordt nu ook steeds duidelijker uit de onderzoeken naar verschillende vormen van kanker: lopen vermindert het risico!

 ## Tips van de expert

De belangrijkste veranderingen door hardlopen die u een lang leven beloven

1. Door lopen daalt de cholesterolspiegel
Preciezer gezegd: het gehalte van de 'goede' cholesterol stijgt, terwijl het gehalte 'slechte' cholesterol daalt. Een te hoge concentratie 'slechte' cholesterol in het bloed is de oorzaak van aderverkalking. Dit leidt tot vernauwing en verharding van de bloedvaten waardoor in bepaalde organen zoals het hart of de hersenen een tekort aan zuurstof ontstaat. Bij een volledige afsluiting van een bloedvat ontstaat een hart- of herseninfarct.

2. Door lopen daalt de rustpols
Door het regelmatig trainen wordt het prestatievermogen van het hart verhoogd. Het komt met minder zuurstof toe en brengt meer zuurstof in de bloedbaan. Hierdoor daalt de hartslag in rust. De pauze tussen twee slagen is langer.

3. Lopen reguleert de bloeddruk
Een verhoogde bloeddruk belast de bloedvaten en is daardoor een oorzaak voor aderverkalking.

4. Lopen traint de bloedvaten
Ze worden elastischer en kunnen beter samentrekken.

5. Lopen verlaagt de kans op kanker
De natuurlijke afweer stijgt. 'Natural killercellen' vallen kankercellen in een vroeg stadium aan en maken ze onschadelijk. Bovendien herkent het afweersysteem kankercellen eerder.

Voor al deze effecten kan men ook medicijnen nemen – mét hun bijwerkingen. Bespaart u zich deze: ga lopen.

Lopen traint uw afweersysteem

Het koude seizoen is nog niet aangebroken, of het begint weer: uw neus loopt, hoofd- en gewrichtspijnen begeleiden u, u sukkelt van de ene verkoudheid naar de volgende. Weg ermee! Ga lopen, en uw afweersysteem ontwikkelt zich tot een waar pantser tegen bacteriën en virussen. Mensen die regelmatig in een matig tempo lopen zijn duidelijk veel minder vaak ziek dan ongetrainde mensen en topsporters. Bij die laatste groep wordt het risico weer groter. Uit een Amerikaans onderzoek van 530 recreatiehardlopers bleek dat bij mensen in deze groep gemiddeld 1,2 keer per jaar een ziekte voorkwam. Een niet-getrainde controlegroep werd daarentegen 4,1 keer (vrouwen), respectievelijk 2,25 keer (mannen) ziek. Bij topsporters werden waarden bereikt van 2,5 keer (uit: Liesen, 1997).

Als u regelmatig loopt behoren die lastige verkoudheden weldra tot het verleden.

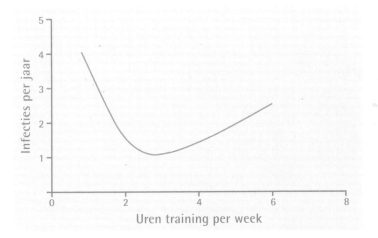

Als u regelmatig hardloopt is uw afweersysteem gevoeliger en reageert het sneller op indringers. Het aantal 'natural killercellen' die zieke, door een virus aangetaste cellen vernietigen, kan tot vijftig procent stijgen. Mocht zich niettemin een infectie voordoen, dan duurt deze maar half zo lang en ook zijn de symptomen minder sterk. U zult geen medicijnen nodig hebben. Er is geen middel in de geneeskunde dat datgene vermag, wat u door lopen kunt bereiken.

Lopen voorkomt rugklachten

Rugklachten zijn een ware epidemie geworden. Er zijn niet veel mensen die er niet eenmaal mee in aanraking zijn gekomen. Bij de meeste mensen is hiervoor een drietal oorzaken aan te wijzen: een zwakke rompmusculatuur, lang in éénzelfde houding blijven of stress. Van het lichaam wordt te weinig gevraagd, van de geest te veel. Lopen is hiertegen een goede remedie!

Weliswaar gebruikt u uw benen om u voort te bewegen, maar terzelfder tijd moeten de spieren van de wervelkolom ervoor zorgen dat u rechtop blijft lopen. Dit versterkt onder andere de buik- en rugspieren. Ondertussen zorgt u door te lopen ervoor dat u de noodzakelijke hoeveelheid beweging krijgt als u gedwongen bent in uw werk te veel in één houding te zitten. Stress is een andere belangrijke oorzaak van rugklachten! Bent u hierdoor verrast, lees dan het volgende punt.

Met lopen en ontspanningsoefeningen kunt u uw rug ontlasten.

 ## Tips van de expert

Belangrijk voor training van uw afweersysteem:

1. Niet te veel en niet te weinig
Een trainingsprogramma tussen twee tot vier uur per week, uitgesmeerd over drie tot vier sessies, is optimaal voor uw afweersysteem.

2. Duur boven intensiteit
Het afweersysteem verdraagt een grotere hoeveelheid training (langer of vaker lopen) beter dan een zwaardere trainingsintensiteit (harder lopen).

3. Vermijd psychische spanning
Grote psychische stress verdubbelt de kans op ziekte. Effectieve behandelingen hiervoor zijn ontspanningsmethoden zoals autogene training, yoga en natuurlijk... lopen!

4. Eet gezond
Sportmensen hebben een verhoogde behoefte aan hoogwaardige voedingsmiddelen. Hoogwaardige, vetvrije voeding is het beste voor lopers. U kunt hierover meer lezen in het hoofdstuk over voeding vanaf bladzijde 52.

Lopen ontspant, maakt gelukkig en creatief

Stress is één van de ergste gesels van onze tijd. De gevolgen voor de gezondheid kunnen van depressies tot rugklachten, maagzweren, hoge bloeddruk of zelfs tot hartaanval leiden. Lopen is het beste middel tegen stress! Dit komt omdat de stressreactie hierbij op natuurlijke wijze kan wegvloeien.

Sinds het stenen tijdperk verloopt deze reactie als volgt:

1. Er is een prikkel van buitenaf (bv. een beer).

U wilt na een drukke werkdag tot rust komen? Ga dan lopen!

2. Deze prikkel wordt ervaren als bedreigend, uitdagend, enz. (bijvoorbeeld wanneer de beer agressief is).
3. Er komen stresshormonen vrij om het lichaam klaar te maken voor het gevecht of de vlucht.
4. Dan volgt een lichamelijke reactie: de hartslag en bloeddruk worden hoger, de ademhaling versnelt en de spierspanning (vooral in de rug) neemt toe.
5. Daarna volgt de lichamelijke actie: vechten of vluchten.
6. Herstel van de oorspronkelijke toestand: ontspanning.

Stressreacties volgen nog steeds dit patroon, maar met één verschil: meestal ontbreekt de lichamelijke actie, fase 5. Zonder lichamelijke actie, zonder beweging kan de reactie niet tot een einde gebracht worden. Hierdoor blijven de stressverhogende hormonen adrenaline en noradrenaline in het bloed. Deze laten u niet tot rust komen, waardoor u niet kunt omschakelen en niet kunt inslapen. Ook maken die hormonen dat uw rugspieren voortdurend gespannen blijven. Dit komt zelfs bij sterke mensen voor. Lichamelijke en emotionele problemen zoals hierboven beschreven, zijn het gevolg. Zorg ervoor dat de stressreactie haar natuurlijke verloop kan voltooien. Loop de stress eruit.

Ook ontspanningsmethoden zoals autogene training, yoga, meditatie of progressieve spierontspanning volgens Jakobsen zijn hierbij effectief. Deze technieken beginnen als de stressreactie ontstaat. U leert om neutrale prikkels van buitenaf niet meer als bedreigend te ervaren en om onder alle omstandigheden ontspannen te blijven.

Wat lopen nog meer doet

- Lopen maakt intelligent en creatief: als u loopt krijgen uw hersenen twee keer zoveel zuurstof als in rust. Dit verhoogt het concentratievermogen, er ontstaan nieuwe verbindingen tussen de verschillende zenuwcellen. Mentale scherpte, leervermogen en creativiteit nemen bij regelmatig trainen duidelijk toe.

- Lopen leidt tot de productie van het lichaamseigen pijnbestrijdingsmiddel endorfine. De concentratie in het bloed van deze stof is bij lopers hoger dan bij ongetrainde mensen. De werking van de lichaamseigen endorfinen is pijnstillend en doet een verschijnsel ontstaan dat men 'runner's high' noemt. Dit gevoel van gelukzaligheid komt vooral bij lopers voor. Ze voelen zich als het ware zweven, inspanningsloos.

Endorfinen zorgen voor dat geluksgevoel dat zich bij langdurig lopen voordoet.

- Door lopen slaapt u beter. De inslaapfasen worden korter en de perioden van diepe slaap langer. U wordt 's nachts niet meer wakker, en u hebt minder last van nachtmerries. Daardoor rust u 's nachts beter uit en kunt u overdag meer aan.

Om te onthouden

De antistresstraining

1. Lopen moet u met plezier doen, en het mag zeker geen extra stressfactor worden. Begin daarom met lopen op een rustige, ontspannen manier. Lees daarvoor vooral ook het volgende hoofdstuk 'Alle begin is makkelijk' vanaf bladzijde 14.

2. Hoe vaak kunt u, of moet u lopen? Twee- tot driemaal per week gedurende dertig minuten is het beste om het gehalte aan adrenaline en noradrenaline te laten dalen.

3. Hoe snel? Begin langzaam! Heel langzaam! Het komt niet op de snelheid aan. Als u met een partner loopt, moet u steeds met elkaar kunnen blijven praten. In het begin kunt u rustig eerst joggen, en naderhand geleidelijk aan het tempo opvoeren.

4. Ontspanning en lopen: een combinatie van ontspannings- en looptraining is nóg effectiever doordat beide elkaars werking wederzijds versterken.

De positieve effecten van het lopen liggen voor de hand: een slank en gezond lichaam – wat wij een superlichaam noemen – en een ontspannen, geconcentreerde geest. De volgende stap is dat u van meet af aan plezier beleeft aan het lopen, want alleen dan zult u het ook op de langere termijn volhouden. Er zijn enkele verbluffende trucjes om uw enthousiasme levendig te houden.

Alle begin
is makkelijk

Zes tips voor blijvend plezier in lopen

Veel mensen hebben de beste voornemens, beginnen met lopen om er na korte tijd weer mee op te houden. De redenen die hiervoor worden gegeven zijn talrijk. Boven aan de lijst staan bezwaren als 'Ik heb er geen tijd voor, het lukt me gewoon niet om regelmatig te lopen', of 'Daar ben ik eigenlijk te oud voor'. Vergeet deze ongegronde bezwaren!

Om te zorgen dat u het blijft volhouden en uw plezier aan het lopen bewaart, geven wij u enige belangrijke gedragsregels. Als u zich hieraan houdt zult u al snel merken dat lopen onmisbaar voor u wordt. U zult zich zelfs slecht voelen als u niet regelmatig uw loopschoenen aantrekt. Zowel uw lichaam als uw geest hebben de regelmatige dosis lopen nodig.

1. Denk aan uzelf

Als u door een tijdsgebrek niet regelmatig kunt lopen, stel uzelf dan de vraag of dit komt omdat u voortdurend voor anderen in de weer bent. Dikwijls wordt er zowel in uw privé-leven als op uw werk een beroep op u gedaan waaraan u, deels uit overtuiging, deels uit plichtsgevoel, meer of minder graag, gehoor geeft. Als deze claims de overhand krijgen hebt u geen moment meer voor uzelf. Dit is geen oproep tot overdreven egoïsme, maar een gezonde dosis egoïsme is nodig om met lopen iets voor uw figuur of uw gezondheid te kunnen bereiken.

Als u zich fit en evenwichtig voelt hebben familie, vrienden en collega's daar uiteindelijk ook plezier van.

Als u hiervan overtuigd raakt, zult u van het lopen zodanig veel profijt hebben dat u zich om veel zaken minder lang, maar intensiever en effectiever bekommert.

Ga bij uzelf na welk doel u met het lopen bereiken wilt en hoe belangrijk dit voor u is. Schat u dit als zeer belangrijk in, schroom er dan niet voor om uw streven, ondanks tegenwerking van buitenaf, door te zetten. U hebt niet alleen jegens uw gezin en werk een verantwoordelijkheid, maar ook ten aanzien van uzelf en, niet te vergeten, uw gezondheid.

2. Stel uzelf een doel

Als u niet weet waarom u iets doet, zult u er al snel geen zin meer in hebben. Maak dus voor uzelf duidelijk welk doel u wilt bereiken: wilt u afvallen, de dagelijkse stress kwijtraken of het cholesterolgehalte in uw bloed verminderen? U maakt uit wat u motiveert om te lopen. Uzelf een doel stellen is belangrijk omdat, als u het bereikt, dit belangrijk bijdraagt aan uw geestelijk welbevinden. Wel moet uw doel voldoen aan twee criteria:

- Het moet haalbaar zijn. U wilt afvallen door hard te lopen? Het liefste vijf kilo in twee weken? Dat is onrealistisch. Zodra u ziet dat u dit doel niet zult bereiken verliest u blijvend de motivatie en daarmee het plezier aan lopen. Blijf dus met beide benen op de grond en stel realistische doelen. Het lopen verandert niet alleen uw gewicht, maar uw hele leven, en niet van vandaag op morgen, maar geleidelijk!

- Uw doel moet concreet zijn. De meesten formuleren het als 'Ik wil afvallen!' Maar dit is zo vaag en zo onverbindend dat alles zowel als succes, ofwel als falen beschouwd kan worden. De woorden 'In drie maanden wil ik drie kilo afvallen', zijn daarentegen dusdanig vastomlijnd en bindend, dat u op elk moment weet: ieder trainingsmoment is belangrijk om binnen de afgesproken limiet het beoogde doel te bereiken.

Welk doel u zichzelf ook stelt: het enige dat telt is dat u zich niet onder druk gezet voelt.

3. Begin langzaam

Als u denkt 'Ik weet natuurlijk best dat een regelmatige looptraining goed voor me zou zijn, maar ik vind het gewoon te inspannend', dan hebt u het mis. Het spreekwoord 'Het helpt alleen als het pijn doet' klopt allang niet meer.

Lopen betekent: langzaam lopen. Zo langzaam, dat u het als prettig ervaart. Vooral in het begin is dat belangrijk. Anders nemen uw hersenen een loopje met u. Kent u de situatie dat u een vervelend gevoel in uzelf voelt opkomen, alleen al bij het horen van een tandartsboor? Dat komt doordat twee prikkels, die in feite niets met elkaar te maken hebben (het geluid van een boor en pijn), gelijktijdig optreden en door de hersenen met elkaar in verband gebracht worden. Zodra u het geluid van een boor hoort, herinnert dit u aan het gevoel van pijn van het boren.

Als u hardloopt en daarbij een onaangenaam gevoel hebt, gebeurt hetzelfde: zodra u alleen al aan het lopen denkt, bekruipt u dit onaangename gevoel en het plezier ebt weg. Doe het daarom andersom: pas uw looptempo aan aan uw gevoel van welbevinden, en uw hersenen zullen lopen en plezier met elkaar associëren. Als dat inhoudt dat u uw tempo moet verlagen en wilt wandelen, doe dat dan gerust. Geleidelijk aan zal uw prestatievermogen verhogen en zult u zich bij het lopen lekker gaan voelen.

4. Loop met zijn tweeën

Het is leuker om samen met anderen te lopen. Probeer andere leden van het gezin ertoe te brengen om met u mee te gaan! Vraag vrienden of kennissen die het voornemen hebben om iets voor hun gezondheid te gaan doen, of informeer bij clubs of er gezamenlijke lopen worden georganiseerd. Er zijn genoeg mogelijkheden.

Met anderen lopen is niet alleen leuker, maar u houdt het ook beter vol.

Als u in gezelschap loopt, houd dan de volgende punten in gedachten:

- De looppartner(s) moet(en) hetzelfde tempo prettig vinden als dat van u. Niets is meer frustrerend dan slechts met de grootst mogelijke inspanning uw partner te kunnen bijhouden. Daarentegen is het makkelijk om in een groep een tempo aan te houden en uw tempo aan te passen aan dat van een ander.
- Binnen een groep geldt: de zwakste loper bepaalt het tempo. Wat eigenlijk vanzelfsprekend is, ontaardt in de praktijk maar al te vaak. Vaak onbewust, hitst men elkaar wederzijds op, zodat u al snel niet meer loopt in uw tempo van welbevinden; het lijkt er eerder op alsof u een kwalificatiewedloop houdt voor deelname aan de Olympische Spelen. De betere loper moet altijd in de flank achteraan lopen.
- Maak met uw looppartners vaste afspraken. Het beste is om steeds op dezelfde dag en tijd af te spreken. Het kleine duiveltje in u dat u misschien van het lopen probeert te weerhouden maakt zo geen kans, omdat u weet: er wordt op me gewacht! U hoeft zichzelf ook niet steeds af te vragen: heb ik zin om te gaan of niet? Bovendien kunt u zo ervoor zorgen dat u op die dag geen andere afspraken maakt waaraan u anders misschien wel voorrang had gegeven.

5. Beloon uzelf

U hebt zich voorgenomen om regelmatig drie keer per week te gaan lopen en de eerste paar weken was u daarbij erg enthousiast. U hebt een vaste afspraak met een looppartner, en ook de beide andere dagen waarop u gaat lopen zijn met rood gemarkeerd in uw agenda. Dan hebt u een beloning verdiend. U weet immers dat beloningen de motivatie vergroten, en dat zij het lopen meer plezier geven. Gun uzelf eens een diner in een goed restaurant, of neem eens een heerlijk stoombad of koop een nieuwe trainingsoutfit. Beloningen kunnen kleine materiële geschenken zijn, maar ook de overtuiging en het bevredigende gevoel iets voor uw gezondheid en uw figuur te hebben gedaan. Denk alvast na over de beloning die u zichzelf over twee weken zult geven. In het vooruitzicht van de beloning ligt de motivatie.

De meesten onder ons gunnen zichzelf niet gauw iets aardigs. Maar vindt u ook niet dat u na twee weken regelmatig lopen een kleine attentie verdiend hebt?

Al snel zult u merken dat u geen beloning meer nodig hebt. De hersenen maken de link tussen het lopen en het plezier van de beloning. Weldra associeert u lopen spontaan met plezier. Dan loopt u uit plezier.

Schaam uzelf niet om uw doorzettingsvermogen te belonen en iets aardigs voor uzelf te doen! U kunt iedere dag op vele manieren opluisteren.

Hier volgen enkele mogelijkheden:
- U koopt nieuwe gemakkelijke loopschoenen of een mooi trainingspak.
- U gaat met vrienden naar een restaurant dat al lang op uw verlanglijstje stond.
- Ga weer eens naar de film omdat dat alweer zo'n lange tijd geleden is.
- Hoe zat het ook alweer met een bezoekje aan de sauna na kantoor? (Vanzelfsprekend niet op de avond die u voor het lopen had gereserveerd.)
- Koop kaarten voor het concert van uw favoriete band!
- Verwen uzelf met een heerlijke bodylotion na het lopen.
- Als u al wat bent afgevallen: koop die mooie jurk of broek die u zich tot nu toe niet hebt durven aanschaffen, maar die u nu mooi staat.
- Geniet van een heerlijk ontspannen bad thuis.

6. Controleer uw vooruitgang

Niets is frustrerender dan voor iets te werken waarvan u niet weet of u uw doel bereikt. Controleer daarom van tijd tot tijd uw vooruitgang. Hoe? Dat hangt helemaal af van het doel dat u wilt bereiken. Als u loopt met het doel om af te vallen, is de weegschaal beslist een goed middel. Maar ga vooral niet dagelijks op de weegschaal staan. Want u weet: door het lopen valt u niet snel af, maar wel blijvend. Het is voldoende om eens in de drie tot vier weken uw gewicht te controleren. Daartussenin treden te veel schommelingen op. Bovendien geeft een gewone weegschaal maar beperkte informatie. Een weegschaal die uw lichaamsvet meet zou een betere oplossing zijn. Want daarom gaat het: u moet het vetaandeel verminderen.

Laat u niet van de wijs brengen door schommelingen in uw gewicht: wie loopt wordt langzaam, maar zeker, slanker.

De beste graadmeter voor alle doelen die u met lopen wilt bereiken, is een groter uithoudingsvermogen. Want als dat verbetert, verbeteren ook alle andere factoren zoals lichaamsvet, cholesterolgehalte, bloeddruk, stress of de kans op hart- en vaatziekten en op kanker.

Hoe kunt u uw uithoudingsvermogen controleren? Op bladzijde 27 vindt u een eenvoudige uithoudingstest die u informeert over uw huidige fitheidstoestand. Voer deze test iedere vier tot zes weken uit en u ziet zwart op wit hoe uw conditie verbetert. Tegelijkertijd motiveert een goede uitslag extra om op de ingeslagen weg te blijven.

Wie iedere morgen op de weegschaal staat zal de moed tot lopen snel verliezen. Blijvend vooruitgaan kost tijd. Het is voldoende om eens per vier weken op de weegschaal te gaan staan én het is beter voor uw motivatie.

U staat te popelen om van start te gaan. Ga! Al tijdens uw eerste looptraining kunt u direct nadenken over uw uitrusting. Uw oude turnschoenen die u onder uit de kast hebt gehaald doen u pijn; het oude T-shirt, verzadigd van zweet, plakt en kleeft aan uw huid; het schuren van uw dijbenen doet steeds meer pijn. Wilt u zich niet door deze kleinigheden het loopplezier laten ontnemen, dan is het de moeite om eventjes stil te staan bij uw uitrusting.

Vóór de start:

uitrusting en looptraject

Het belangrijkste voor lopers: de schoen

Als u altijd de mogelijkheid hebt om op gras of zand te lopen, dan hebt u geen loopschoenen nodig. Loop op blote voeten. Alle anderen moeten aandacht schenken aan een goede loopschoen, omdat de meesten van ons op een harde grond zullen moeten lopen.

Bij iedere stap moeten de enkels, knieën, heupen en wervelkolom een verdubbeld lichaamsgewicht opvangen, en bij snelle lopers zelfs het driedubbele. Deze belasting wordt in feite door de musculatuur van de onder- en bovenbenen, van de heupen en de wervelkolom, opgevangen. Hoe sterker deze spieren zijn, hoe beter ze dit aankunnen.

Zorg voor goede loopschoenen zodat uw gewrichten niet onnodig belast worden.

Een goede loopschoen moet...

... **veren:** het neerkomen van de voet wordt in eerste instantie door de spieren opgevangen, maar de natuur heeft lopen op asfalt nooit voorzien. Daarom moet de loopschoen voor extra demping zorgen. Dit gebeurt door het materiaal van de tussenzool, dat afhankelijk van het merk, uit verschillende soorten kunststof bestaat.

... **steunen:** als de hiel op de grond neerkomt moet de loopschoen ervoor zorgen dat de voet niet té veel naar binnen of naar buiten doorbuigt. Deze steunfunctie is vooral belangrijk wanneer de voet bij het neerkomen zeer sterk naar binnen draait. Dit probleem wordt pronatie genoemd. Hiervoor bestaan speciale loopschoenen, waarbij aan de binnenzijde stevig materiaal is verwerkt. Hierdoor wordt het te veel 'naar binnen draaien' opgevangen.

... **fixeren:** als de voet in de schoen glijdt ontstaan zeker problemen, waarvan een blaar wel het minste is. Vooral rondom de hiel moet de loopschoen voorzien zijn van een stevige hielkap om de voet de noodzakelijke steun te geven. Dit omhulsel moet aan de bovenkant zacht zijn om problemen als achillespeesaandoeningen te voorkomen.

Aan de kwaliteitseisen van een loopschoen hangt weliswaar een prijskaartje. Gemiddeld is de prijs van goede loopschoenen € 75 en meer. Dit bedrag moeten uw gezondheid en het plezier in het lopen u waard zijn. Laat u zich in elk geval informeren in een vakwinkel. Met loopschoenen die slecht passen, bestaat het gevaar van blessures. Koop uw schoenen in de namiddag of 's avonds. Voeten zetten in de loop van de dag iets uit, waardoor ze wat langer en breder worden.

Bepaal uw voettype

Voor bepaalde voetafwijkingen is een speciaal type loopschoen nodig.

Uw favoriete ondergrond, lichaamsgewicht en bovenal uw voettype spelen bij de aanschaf van de schoenen een belangrijke rol. Veel mensen hebben een afwijkende voetstand en hebben speciale loopschoenen of steunzolen nodig. Met de onderstaande test kunt u vaststellen welk type voet u hebt. Ga met natte voeten op een ondergrond staan waarop een voetafdruk zichtbaar blijft. Vergelijk uw afdruk met onderstaande afbeeldingen:

1. De normale voet

Als uw voetafdruk het meeste met deze vorm overeenkomt hebt u een normale voet, dat wil zeggen dat uw voet zich normaal afrolt. Let bij de aanschaf van uw schoen slechts op een goede pasvorm, vooral aan de hiel. De tenen moeten vooraan nog een duimbreed speling hebben.

2. De platvoet

Als uw voetafdruk lijkt op deze afbeelding dan hebt u een platvoet. Uw voet buigt bij het neerkomen te sterk naar binnen. U hebt een schoen nodig die dat verhindert. Bij een verkeerde schoenkeuze kan dit leiden tot overbelasting. Let ook op de pasvorm rondom de hiel en op de speling voorin bij de tenen.

3. De holle voet

Als uw voet alleen aan de hiel en aan de bal van de voet een afdruk geeft, hebt u een holle voet. Bij deze positie van de voet ontbreekt het natuurlijke afrol- en veringsmechanisme. Er bestaat een vergrote kans op naar buiten ombuigen van de voet. U hebt vooral een schoen nodig die zeer goed veert.

Wat verder **nog van pas komt**

Terwijl u bij de aanschaf van loopschoenen echt op de kwaliteit moet letten, is bij kleding comfort en draagplezier het allerbelangrijkste criterium.

Bij het lopen moet u zich in de eerste plaats lekker voelen. Als u kiest voor een oud katoenen T-shirt in plaats van de nieuwste hightechkleding ondervindt uw gezondheid daarvan niet meteen nadelige gevolgen.

Opdat u echter ook bij weer en wind kunt blijven lopen, moet u de juiste kleding voor ieder weertype hebben:

– Loopshirt

Speciale materialen voor sportkleding hebben het voordeel dat het zweet naar buiten wordt afgevoerd, van de huid weg. Niets plakt aan de huid. Bij hogere temperaturen is een gewoon T-shirt voldoende. Wanneer het kouder wordt, is een mouwloze bodywarmer een praktisch kledingstuk.

Een nuttige aanschaf voor de winter zijn een lange, licht gewatteerde loopbroek en een loopshirt met lange mouwen.

– Loopbroek

Niets is onaangenamer dan als de broek tijdens het lopen tussen de dijbenen schuurt. Als u deze problemen ondervindt, trek dan in ieder geval een nauwsluitende sportbroek aan zodat u zichzelf deze pijnlijke ervaring bespaart. Anders mag het ook een ouderwetse katoenen broek zijn.

– Sokken

Wie aanleg voor blaren heeft, heeft in sommige gevallen baat bij speciale loopsokken. Anderen kunnen eenvoudig hun oude sokken gebruiken.

– Muts

Als het echt koud wordt, zet dan een muts op! Via het hoofd verliest u veel lichaamswarmte. Verder hoeft u zich niet aan te kleden alsof u naar de noordpool gaat. U zult na enkele minuten lopen al merken dat u het vanzelf warm krijgt.

Het juiste looptraject

U bent optimaal uitgerust en u wilt wellicht direct uw nieuwe loopschoenen uitproberen? Dus: deur open en vooruit! Al na enkele meters moet u de eerste beslissing nemen: linksaf, en dan verder op asfalt? Of liever rechtsaf het bos in? Of gewoon rechtdoor? Daar loopt wel geen weg, maar wat zou dat? Het belangrijkste is afwisseling: loop niet steeds hetzelfde rondje. Uw voeten én uw motivatie zullen u hiervoor dankbaar zijn.

Op den duur wordt steeds hetzelfde traject zelfs voor de meest enthousiaste loper saai.

Als u op verschillende soorten ondergrond loopt worden de spieren en gewrichten steeds op een andere manier belast. Hiermee voorkomt u eenzijdige overbelasting. Vooral de achillespees en de knie zijn bij het lopen kwetsbaar. Met goede loopschoenen, afwisselende trajecten en trainschema's zoals worden beschreven vanaf bladzijde 33, kunt u dit probleem effectief voorkomen.

Verder is alles mogelijk – asfalt, bospaadjes, loopband, gras, zand of alles door elkaar. Elk type ondergrond heeft voor- en nadelen. Vanzelfsprekend heeft het weer ook een invloed op uw looptraject. Bij regen kunt u zandpaadjes beter mijden.

Samen lopen is leuker en geeft extra motivatie!

Om te onthouden

Verschillende soorten ondergrond: pro en contra

▪ Asfalt

Wees niet bang voor asfalt! Met uw spieren en uw loopschoenen hebt u voldoende vering. Een voordeel van asfalt is dat u op die ondergrond gelijkmatig kunt lopen, en dat u uw voeten zeer bewust kunt afrollen. U kunt asfalt beter vermijden als u voor de vering uitsluitend op uw schoenen aangewezen bent, d.w.z. als uw spieren te zwak zijn of als u (nog) te zwaar bent. Train uw spieren dan eerst! De beste oefeningen voor nog ongetrainde lopers, of als aanvullend programma voor loopprofs, staan beschreven vanaf bladzijde 45.

Verander het looptraject regelmatig – dat geeft uw trainingsprogramma een aanvullende impuls!

▪ Veld- en bospaden

Het verschil tussen asfalt en veldpaden is niet erg groot. De vering is iets groter, maar de stabiliteit is minder.
Veld- en bospaden die buiten de bebouwde kom en ver van drukke straten liggen, vormen een ideaal gebied voor lopers.

▪ Gras en zand

Beide soorten ondergrond nodigen uit tot blootsvoets lopen en bieden optimaal mogelijkheid om uw voetspieren te versterken. In deze buitengewone vering schuilt echter ook het gevaar van de verzwikking.

▪ Loopband

Als het buiten stormt en sneeuwt, is de loopband in het fitnesscentrum een prima alternatief. U zweet alsof het hoogzomer en 30 graden is. Nadeel: het lopen op één plek kan gaan vervelen. Het 15-minuten-programma of bladzijde 43 biedt uitkomst. Door de afwisselende intervaltraining vliegt de tijd voorbij.

▪ Links en rechts

Loop vooral ook buiten de gebaande paden! Eenvoudig lukraak door het bos of over de dichtstbijzijnde wei. In u ontwaakt de onderzoeker, als u op plekken komt waar u nog nooit geweest bent. Pas wel op waar u loopt. Deze ondergrond vereist extra oplettendheid.

Met vet is het nu gedaan! Laat die pondjes wegsmelten, zet uw hart aan het werk en stuur uw killercellen eropuit. Het is afgelopen met de steeds terugkerende verkoudheden en rugpijn. Lopen zal uw leven er anders laten uitzien. Maar doe eerst onze tests om na te gaan hoe het op dit moment met uw conditie gesteld is!

Zo traint u

uw
superlichaam

Test uzelf

Al wat u met lopen kunt veranderen, valt af te lezen uit één enkel criterium: het uithoudingsvermogen. Uithouding is het vermogen om een bepaalde belasting over een zo lang mogelijke tijdsspanne vol te houden.

De wandeltest toont u hoe het met uw huidige conditie gesteld is.

Als dit verbetert neemt automatisch uw hoeveelheid lichaamsvet af, en daarmee vermindert tevens uw kans op hart- en vaatziekten of kanker. Uw afweersysteem werkt sneller en effectiever en u wordt minder vatbaar voor stress en rugklachten. Uw uithoudingsvermogen brengt u naar een superlichaam. Voer daarom onderstaande test uit. Hiermee kunt u uw huidige uithoudingsvermogen in kaart brengen. Herhaal de test iedere vier tot zes weken om te zien of u op de goede weg bent.

De 2-km wandeltest
Bij deze oefening moet u al snelwandelend proberen een zo hoog mogelijk tempo te bereiken.

Voorwaarden
- Een vlak traject, twee kilometer lang.
- Een horloge met secondewijzer of een elektronische hartfrequentiemeter.

Uitvoering
Het doel is om zo snel mogelijk de twee kilometer af te leggen. Houd een vlot tempo aan, zonder daarbij hard te lopen, d.w.z. één van beide voeten moet steeds op de grond blijven. Gebruik daarbij ook uw armen.

Onderstaande waarden moeten opgenomen worden bij de berekening en evaluatie (uit: Bös, 1996):
- exacte looptijd (minuten, seconden)
- pols direct na twee kilometer
- body mass index (= lichaamsgewicht in kilo's, gedeeld door de lengte in meters in het kwadraat)
- leeftijd

Berekening

	Mannen	Vrouwen
Bereken en tel de volgende waarden bij elkaar op:		
Looptijd (minuten)	× 11,6 =	× 8,5 =
(seconden)	× 0,2 =	× 0,14 =
Polsslag (belast)	× 0,56 =	× 0,32 =
Body Mass Index	× 2,6 =	× 1,1 =
(Subtotaal)		
Trek van dit getal af:		
Leeftijd (jaren)	× 0,2 =	× 0,4 =
(Subtotaal)		
Trek dit subtotaal af van	420	304
	–	–
Wandeltestindex		

Evaluatie

Beoordeling	Wandeltestindex
zeer goed	> 130
goed	111–130
matig	90–110
zwak	70–89
zeer zwak	< 70

Als de uitslag van uw wandeltest onder 70 ligt, bouw dan – voordat u met lopen begint – met krachttraining uw spieren op.

Bent u sterk genoeg om te lopen?

Hoewel niet heel veel kracht nodig is om te lopen moeten uw beenspieren wel een minimumkracht hebben. Ontbreekt deze, dan kunnen zij de schokken die bij lopen optreden niet opvangen. Sprong-, knie- en heupgewrichten, en de wervelkolom worden zo meer dan noodzakelijk belast.

De beenkrachttest

De test duurt geen twee minuten: ga op een stoel zitten. Leg uw armen kruiselings over uw borst en til een been op. Sta nu langzaam en gelijkmatig met het andere been op.

Als u zowel met het linker- als met het rechterbeen stabiel kunt blijven staan, dan hebt u voldoende kracht om te lopen.

Als dit u niet lukt omdat u ofwel te weinig kracht hebt of te zwaar bent, train dan uw beenspieren volgens de oefeningen die beschreven staan vanaf bladzijde 46. Voor u is het programma 'In vier weken 15 minuten aan één stuk' (zie bladzijde 35) en daarna het tweede trainingsschema (zie bladzijde 37) geschikt.

De belangrijkste trainingsprincipes

Zet de belangrijkste eisen nog even voor uzelf op een rijtje voordat u met lopen begint:

Loop regelmatig

Dit is het belangrijkste principe waarmee u bij uw training rekening moet houden, en tegelijkertijd is dit het moeilijkste. Als u niet regelmatig traint zal geen van de mogelijke effecten die u met lopen kunt behalen, optreden. Dit komt omdat uw lichaam per keer verder bouwt op de vorige training, net zoals bij een piramide de ene steen nodig is om er een andere op te kunnen leggen. U kunt niet zomaar zeggen 'Ach wat, ik sla een paar stenen over, en ga boven weer verder.' Als u onregelmatig of te weinig traint blijft u ter plaatse trappelen. Er gebeurt niets.

Alleen door regelmatig te lopen bereikt u het gewenste effect.

Als u moeite hebt om regelmatig te blijven lopen, herlees dan nog eens aandachtig het hoofdstuk 'Alle begin is makkelijk' vanaf bladzijde 14.

Hoe vaak moet u lopen?

- Onregelmatig of te weinig: uw uithoudingsvermogen gaat achteruit.
- Eenmaal per week: hiermee houdt u het niveau van uw huidige uithoudingsvermogen in stand.
- Twee- tot viermaal per week: optimaal ter verbetering van uw uithoudingsvermogen.
- Vijfmaal per week en meer: dit is wedstrijdtraining. Let op: het gevaar van overbelasting bestaat, vooral van de spieren, pezen en het immuunsysteem!

Loop vooral langzaam!

Bij het lopen verbruikt uw lichaam energie. Deze energie kan al dan niet met tussenkomst van zuurstof geleverd worden. De medische term hiervoor is aëroob (met zuurstof), respectievelijk anaëroob (zonder zuurstof).

Aërobe training doet méér voor uw gezondheid.

Afhankelijk van uw loopsnelheid doet uw lichaam een beroep op één van beide manieren van energielevering.

Als u langzaam loopt krijgen de spieren voldoende zuurstof om de twee voornaamste energiebronnen, koolhydraten en vetten, te ver-

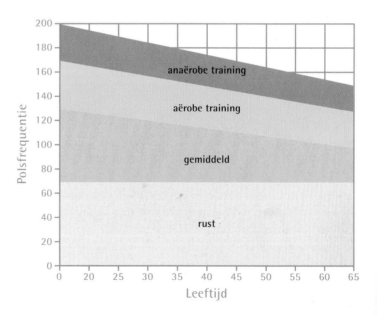

30

branden. Alleen door te lopen in het aërobe gebied bereikt u alle genoemde voordelen voor uw gezondheid.

Als u te hard loopt, moeten de spieren het met minder zuurstof
stellen: ze verzuren. Dit wordt als onaangenaam ervaren, en kan ook
slecht zijn voor uw gezondheid (blessures!). Op dat ogenblik verbrandt het lichaam ook minder vet.

Luister naar uw hart

Om na te gaan of u in het aërobe gebied traint kunt u uw hartfrequentie meten. Deze laat u precies weten of u te snel of wellicht ook
te langzaam bezig bent. Controleer tijdens het lopen regelmatig uw
hartfrequentie door even stil te staan en uw polsslag gedurende tien
seconden te tellen door uw vinger op uw halsslagader te leggen. Ver-
menigvuldig dit getal met zes, en u hebt het aantal hartslagen per
minuut. Een preciezere meting verkrijgt u met zgn. hartslagmeters
die tijdens het lopen continu uw hartfrequentie registreren en een
signaal afgeven als u een vooraf ingestelde waarde overschrijdt. In
de tabel op bladzijde 33 wordt aangegeven met welke hartfrequentie, in overeenstemming met uw leeftijd, u zou moeten trainen. Het
maakt daarbij niet uit of u snelwandelt of jogt om de juiste hartfrequentie aan te houden.

*Hartslagmeters om tij-
dens het lopen uw hart-
slag te meten zijn in elke
sportwinkel verkrijgbaar.*

De controle van de hartfrequentie is een objectieve manier om de
loopbelasting te sturen. Aanvullend moet u zich aan onderstaande
subjectieve factoren houden:

Evaluatie

Ademhaling	U merkt dat u snel ademt; u mag altijd even stoppen.
Transpiratie	Afhankelijk van de buitentemperatuur trans- pireert u licht tot matig.
Spieren	U voelt uw spieren maar u hebt geen gevoel van zwakte.
Stemming	Uw stemming is vrolijk en opgewekt. U er- vaart de inspanning van het lopen als licht tot matig zwaar.

Voer uw prestaties op

Door regelmatig en langzaam te lopen zult u weldra vaststellen dat in uw lichaam de eerste duidelijke veranderingen merkbaar zijn: het percentage lichaamsvet wordt kleiner, het cholesterolpeil en de bloeddruk stabiliseren zich geleidelijk, u kunt stress beter aan, enzovoort. U bent op weg naar een superlichaam.

Opdat dit zo blijft moet u af en toe uw looptraining wijzigen, omdat uw lichaam went aan langdurig gelijkblijvende prikkels. De belasting van de training wordt geleidelijk aan zwaarder. Let daarbij op het volgende:

In plaats van uw looptempo te verhogen, kunt u beter vaker en langer gaan trainen.

1. Loop vaker

Als u bijvoorbeeld tot nu toe slechts tweemaal per week gelopen hebt, vermeerder dit dan naar drie- en uiteindelijk naar viermaal per week. Vaker trainen zal het meeste effect op uw uithoudingsvermogen hebben.

2. Loop langer

Als u viermaal per week bereikt hebt, is de tijd gekomen om de loopomvang te verhogen. U gaat nu langer lopen. Een wekelijkse uitbreiding van zo'n tien procent zult u probleemloos verdragen. U gaat hiermee door tot u een negentig minuten kunt lopen. Langer dan dit is voor de wedstrijdsporters, en niet nodig.

3. Loop sneller

Als u de eerste twee fasen doorlopen hebt, beschikt u over voldoende ervaring. U mag nu in verschillende trainingseenheden ook iets sneller lopen dan in de hartfrequentietabel (blz. 33) staat aangegeven. Als gevolg van uw geleidelijk aan verbeterde uithoudingsvermogen zult u niettemin binnen het aërobe gebied blijven (voldoende zuurstof). Maar, ook nu mag u uw maximum van vijf tot tien slagen méér per minuut niet overschrijden.

De meeste mensen doen bij hun looptraining juist het omgekeerde: eerst lopen ze sneller en pas als het helemaal niet meer anders kan, lopen ze vaker om het quotum uit te breiden. Weliswaar spaart dat in het begin tijd, maar het leidt op den duur onvermijdelijk tot blessures en is om die reden niet zinvol.

Trainingsschema's – zo verbetert u uw uithoudingsvermogen

We geven u hieronder enkele programma's waaruit u al naar gelang van uw conditie en doel uw persoonlijke 4-weken-programma kunt samenstellen. Voor alle schema's geldt dat u in een goede gezondheid verkeert. Als u daaraan twijfelt of als u ouder dan 35 bent, doet u het best eerst een inspanningstest bij uw huisarts.

Leeftijd	70%	75%	80%	85%*
20	140	150	160	170
25	137	146	156	166
30	133	143	152	162
35	130	139	148	157
40	126	135	144	153
45	123	131	140	149
50	119	128	136	145
55	116	124	132	140
60	112	120	128	136
65	109	116	124	132
70	105	113	120	128
75	102	109	116	123

* Het betreffende percentage tussen 70 en 85 gaat uit van de maximale hartfrequentie.

Als uw huisarts het akkoord heeft gegeven, kunt u beginnen. Voor alle programma's ziet u in bovenstaande tabel met welke hartfrequentie u traint.

Voorbeeld: U ziet in uw trainingsschema vermeld dat u op dag x 15 minuten op 75% moet lopen. Dit percentage gaat uit van uw maximale hartfrequentie. Kijk in de tabel welke hartfrequentie bij dit percentage hoort. Het beste is om direct uw persoonlijke hartfrequenties te noteren die voor uw training het beste zijn. Onthoud deze getallen of schrijf ze nog eens apart op, zodat u ze steeds bij de hand hebt.

Ga voordat u begint met lopen voor een check-up naar uw huisarts. Voor hartlijders is onbegeleid lopen niet aan te raden en soms volstrekt uit den boze!

Mijn persoonlijke hartfrequentiebereik:

Leeftijd	70%	75%	80%	85%

De waarde die u hier genoteerd hebt, is de bovengrens voor dit trainingsdeel. De ondergrens ligt zo'n tien slagen daaronder. Er is dus een zekere bandbreedte waarbinnen uw hartfrequentie mag variëren.

Daarbij ziet u welk programma welke eisen stelt en hoeveel tijd u wekelijks moet investeren.

Loop zeker niet op eigen houtje in geval van:

- een recent hartinfarct of beroerte;
- doorbloedingsstoornissen van het hart (coronaire hartaandoeningen, angina pectoris);
- hartgebreken (hartinsufficiëntie);
- ernstige hartritmestoornissen;
- een acute hernia;
- chronische infecties of ontstekingen;
- koorts.

U kunt uw hartslag het gemakkelijkst tellen aan de pols of de hals. U kunt zich natuurlijk ook een hartslagmeter aanschaffen.

In totaal presenteren wij vier programma's die op elkaar afgestemd zijn. Als beginneling kunt u dus met schema 1 beginnen. Na 16 weken zou u dan met schema 4 het doel bereikt hebben. Gevorderden kunnen direct met schema 2 beginnen.

Trainingsschema 1: in vier weken 15 minuten lopen aan één stuk

Doelgroep: U bent een volkomen beginneling! In uw jeugd hebt u voor het laatst een kwartier aan één stuk gelopen, en u wilt het nu weer oppakken. U bent het beu om bv. telkens nog maar halverwege de trap even te moeten uitrusten. Dit trainingsprogramma is de eerste stap in uw leven als loper. Over vier weken kunt u 15 minuten aan één stuk lopen.

Voorwaarden: Geen! Wel moet u gezond zijn. Zorg voor goede loopschoenen, draag kleding die makkelijk zit, en u kunt beginnen. Uw motivatie is het belangrijkste. Maar denk vooral niet dat u alle training die u in de laatste jaren gemist hebt, in vier weken moet inhalen!

Hoeveel tijd kost het u?
Weinig. Verbazend weinig. Van een half uur tot een uur per week is voldoende. Ook als u het gevoel hebt dat u wel meer zou willen doen, weersta dit! U moet nu nog uitgebreid rusten na de training.

 ## Tips van de expert

Opwarmen is belangrijk!

Voor iedere training moet u zich opwarmen. Als u op 70 of 75% traint, zijn vijf minuten voldoende. Vanaf 80% zijn tien minuten nodig. Dan pas is de hartfrequentie in uw trainingsbereik. Bij alle tijdsindicaties in de trainingsschema's is de tijd voor het opwarmen al meegerekend. Plan zelf nog zo'n drie tot vijf minuten na afloop in. Bouw in die periode de training losjes af. Leg de paar laatste meters in rustig wandeltempo af. Uw polsslag zal geleidelijk aan weer dalen.

Opwarmingsoefeningen om de spieren los te maken en te rekken zijn voor iedere looptraining verplicht!

Hoe ziet uw trainingsschema eruit?

Gedurende de eerste week traint u 30 minuten, in de tweede week 45 minuten en in de derde en vierde week 60 minuten. Onderstaande tabel geeft uw schema weer: in de twee linkerkolommen staan de trainingsweken en de dagen waarop u traint. In de eerste week tweemaal, in de tweede week driemaal enzovoort. Iedere training duurt 15 minuten.

In de bovenste rij staan de minuten. Elk lichtblauw veld staat voor 1 minuut (snel)wandelen (snel stappen met geforceerde armbeweging). De hartfrequentie moet bij 70% of daaronder liggen. Elk rood veld staat voor 1 minuut joggen, waarbij de hartfrequentie beneden de 80% moet blijven.

Een geleidelijke toename van de trainingstijd per week garandeert u dat u uw lichaam niet overbelast.

Minuten

Tw	Te	01	02	03	04	05	06	07	08	09	10	11	12	13	14	15
1.	di															
	za															
2.	do															
	vr															
	zo															
3.	di															
	do															
	za															
	zo															
4.	di															
	do															
	za															
	zo															

☐ = snelwandelen < 70%   Tw = trainingsweek
■ = jogging 80%   Te = trainingseenheid

Wat verandert er?

U zult merken dat lopen lang niet zo inspannend is als u in het begin dacht. Dit is motiverend. U verheugt zich op iedere trainingseenheid. Ook als het duiveltje in u zich af en toe nog eens meldt, merkt u hoe u langzaam gewend raakt aan het lopen. Al met dit eenvoudige schema vermindert uw kans op hart- en vaatziekte. Uw hart wordt sterker, de polsfrequentie in rust daalt, de bloeddruk stabiliseert zich en de bloedvaten worden elastischer. Ook de dagelijkse stress kunt u met dit programma effectief bestrijden.

Trainingsschema 2: 105 minuten per week
Doelgroep: Dit programma is voor allen die de eerste etappe met succes hebben afgerond. U hebt nu het plezier in het lopen ontdekt. Nu is het belangrijk om door te zetten. U merkt hoe uw lichaam op het lopen reageert en u wilt uw prestatievermogen verbeteren.

Ook als beginner merkt u dat door lopen de stresshormonen afnemen, u voelt zich evenwichtiger dan ooit.

Voorwaarden: U moet 15 minuten aan één stuk kunnen lopen. Volg de tips in het hoofdstuk 'Alle begin is makkelijk' en u behoudt het loopplezier.

Hoeveel tijd kost het u?
Het vierwekenplan gaat uit van een gemiddelde trainingsinspanning van 15 minuten per dag. Als u elke dag 15 minuten loopt zal uw lichaam zeer snel aan deze gelijkblijvende inspanning gewend raken. U vergroot de effectiviteit van uw inspanningen meer door zowel de duur als de intensiteit af te wisselen. Dit betekent dat u niet iedere week even lang loopt.

In de eerste drie weken wordt de trainingsomvang uitgebreid, om in week 4 weer te dalen. Deze laatste week staat bovenal in het teken van uitrusten.

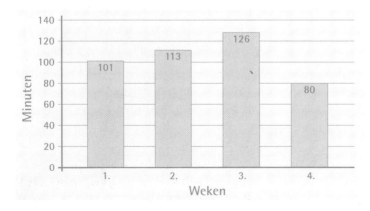

Hoe ziet uw trainingsschema eruit?

In het programma worden alle grondbeginselen van de trainingsleer gevolgd: de beschikbare tijd wordt effectief benut. Maar een schema is alleen dan goed, als er ook ad hoc aanpassingen mogelijk zijn. Als u bijvoorbeeld op dinsdag geen tijd hebt om te lopen, verschuift u het naar woensdag. Probeer wel om wekelijks het vastgestelde totale aantal uren te halen.

Bij regelmatig lopen zult u al snel merken dat door de toename in lichamelijke energie er ook ongekende mentale krachten in u vrijkomen.

	1ste week	2de week	3de week	4de week
ma				16 min. 70%
di	20 min. 80%	23 min. 80%	25 min. 85%	
wo			25 min. 70%	20 min. 70%
do	25 min. 75%	28 min. 75%		
vr			32 min. 70%	16 min. 75%
za	20 min. 80%	23 min. 80%		
zo	35 min. 70%	40 min. 70%	45 min. 70%	28 min. 70%

Wat verandert er?

De kans op hart- en vaatstoornissen daalt nog verder omdat nu ook uw cholesterolspiegel lager wordt. Tegelijkertijd wordt uw afweersysteem gestabiliseerd. Het aantal 'natural killercellen' stijgt, waardoor de vatbaarheid voor infecties geringer wordt en tevens het risico van kanker. Omdat u stress inmiddels goed weet te beheersen, kunnen ook de rugklachten minder worden of zelfs helemaal verdwijnen. Uw concentratievermogen verbetert in hoog tempo als gevolg van de verbeterde bloeddoorstroming van de hersenen. Uw collega's op uw werk zullen zich verwonderen over uw vele creatieve ideeën en men zal u binnenkort naar uw geheim vragen.

Trainingsschema 3: drie uur per week

Doelgroep: Dit schema is bestemd voor degenen die door middel van lopen hun lichaam in een topconditie willen brengen. Daar zult u wat meer tijd voor nodig hebben, maar het effect zal u versteld doen staan: alle voordelen van het lopen komen volledig tot uiting.

Voorwaarden: Trainingsschema 3 mag u als beginneling niet volgen. Het meest geschikt is het voor personen die reeds ervaring hebben met lopen of die na trainingsschema's 1 en 2 acht weken lang getraind hebben. Dan bent u nu klaar voor de volgende stap. Een gedegen motivatie is hierbij van groot belang. Als u zich voor iedere training afvraagt of u wel of geen zin hebt, zal het moeilijk worden. Als dit bij u het geval is, is het beter om één trede lager te gaan naar trainingsschema 2. Lees de 'Zes tips voor blijvend plezier in lopen' (zie bladzijde 15 e.v.).

Hoeveel tijd kost het u?

Gemiddeld zult u drie uur per week moeten inplannen. Dat is de door sportartsen aanbevolen trainingsduur per week. Het effect van de training is echter groter als u wekelijks niet drie uur loopt, maar onderstaande indeling aanhoudt.

In de tabel ziet u de bepaalde trainingshoeveelheid uitgedrukt in minuten per week:

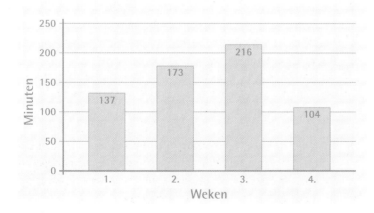

Hoe ziet uw trainingsschema eruit?

In uw trainingsschema staat aangegeven op welke dag in welke week u een bepaalde tijd moet trainen. De percentages verwijzen ook hier naar uw polsslag. De tabel met uw trainingsbereiken vindt u op bladzijde 33. In het hoofdstuk 'Extra' achteraan in het boek vindt u een weekschema om uw trainingsprogramma te noteren.

U zult verheugd zijn: door regelmatig trainen zullen de eerste vetkussentjes verdwijnen!

	1ste week	2de week	3de week	4de week
ma				20 min. 70%
di	27 min. 85%		30 min. 85%	
wo		27 min. 85%		35 min. 70%
do	43 min. 80%	50 min. 75%	50 min. 80%	
vr				35 min. 70%
za	43 min. 75%	50 min. 80%	50 min. 75%	
zo	60 min. 70%	67 min. 70%	76 min. 70%	47 min. 70%

Wat verandert er?

Als u nu weer eens naar uw huisarts gaat, zal hij u vragen wie van zijn collega's u welk wondermiddel heeft voorgeschreven omdat uw huidige conditie zoveel verbeterd is. Vertel het!

Het risico van hart- en vaatziekten is verder gedaald omdat uw cholesterolspiegel een waar schoolvoorbeeld is geworden. Uw afweersysteem werkt zo goed dat zelfs de nietigste bacil direct een kopje kleiner gemaakt wordt. Over rugklachten en stress zult u alleen nog weten uit de verhalen van uw vrienden en kennissen: u bent ontspannen en gelaten, wat er ook gebeurt. Omdat u inmiddels ook al iets bent afgevallen, krijgt u steeds vaker complimenten over uw uiterlijk.

Trainingsschema 4: afbouw van uw lichaamsvet

Dit programma toont u hoe u met lopen effectief en duurzaam kunt afslanken.

Doelgroep: Dit schema is er voor iedereen die door de afbouw van lichaamsvet het lichaamsgewicht wil reduceren. U hebt er genoeg van om u steeds weer op diëten of *crash*-kuren te moeten storten en u bent het calorieëntellen beu. Er moet iets fundamenteels veranderen! Ons vierwekenschema is dan geknipt voor u. Dit programma beoogt om door middel van looptraining nog eens 1500 tot 2000 kilocalorieën per week extra te verbranden.

Voorwaarden: Het belangrijkste gereedschap hierbij is uw motivatie, want dit is een heel karwei. Beschouw ons trainingsprogramma als een begin van een effectief schema waarbij de resultaten weliswaar langzaam, maar wel duurzaam worden verkregen. Daarbij is het van niet minder groot belang dat u een eveneens duurzame, dat wil zeggen een consequente ombuiging van uw dieet aanhoudt. In het hoofdstuk 'Voeding voor lopers', vanaf bladzijde 52, wordt u de weg gewezen.

Een gezonde en evenwichtige voeding in combinatie met ruim voldoende drinken is de voorwaarde om slank te worden en te blijven.

Hoeveel tijd kost het u?

Om wekelijks 1500 tot 2000 kilocalorieën extra te verbranden moet u, afhankelijk van uw lichaamsgewicht, drie tot vier uur trainen. De totaalomvang van uw training per week ziet er als volgt uit:

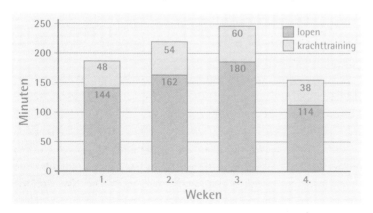

Dit trainingsprogramma kost u de meeste tijd. Bij uw looptraining komt er namelijk een krachttrainingsprogramma bij voor de spieropbouw. Dat is nodig omdat de energie in de spieren verbrand wordt. Hoe meer spieren, des te meer energie u verbrandt. Een bijkomend voordeel is dat u ook in rust meer energie verbruikt, waardoor u zelfs slapend gewicht verliest!

Hoe ziet uw trainingsschema eruit?

Hieronder ziet u een gedetailleerd trainingsplan dat bestaat uit een combinatie van lopen en krachttraining. In het hoofdstuk 'Krachttraining voor lopers' (vanaf bladzijde 44) wordt uitgelegd hoe het in zijn werk gaat.

Door een aanvullende krachttraining verbruikt uw lichaam meer energie; met andere woorden: u valt moeiteloos en spelenderwijze af!

	1ste week	2de week	3de week	4de week
ma				19 min. 70%
di	24 min. kracht	27 min. 85%	30 min. kracht	
wo	48 min. 75%	27 min. kracht	60 min. 80%	19 min. kracht
do		54 min. 75%		38 min. 70%
vr	24 min. 80%		30 min. 85%	
za	24 min. kracht	27 min. kracht	30 min. kracht	19 min. kracht
zo	72 min. 70%	81 min. 70%	90 min. 70%	57 min. 70%

Wat verandert er?

U vermagert! Gestaag daalt het lichaamsvet. Uw spiercellen verbranden zowel tijdens het lopen als in rust meer vet. Uw stofwisseling is overgegaan op vetverbranding. Als u nu eens uit de band mocht springen: geen nood; het zal geen consequenties hebben. Hiermee veranderen natuurlijk alle tot nu toe besproken parameters.

Trainingsschema 5: de beste 15-minutenprogramma's

Voor profs die regelmatig trainen hebben wij de zeven effectiefste 15-minutenprogramma's samengesteld. De moeilijkheidsgraad volgt de nummering.

Nr.	Opwarmen	15 minuten hoofddeel	Afkoelen
1	5-10 min.	3 min. 80% 2 min. looppauze 4 min. 80% +5 1 min. looppauze 5 min. 80% +10	3-5 min.
2	10 min.	5 min. 80% 5 min. 80% +5 5 min. 80% +10	5 min.
3	10 min.	4 min. 80% 1 min. looppauze 4 min. 85% -5 1 min looppauze 4 min. 85% 1 min. looppauze	5 min.
4	10-15 min.	3 min. 85% 2 min. 70% 3 min. 85% 2 min. 70% 3 min. 85%	5-10 min.
5	10-15 min.	4 min. 85% 1 min. 75% 4 min. 85% 1 min. 75% 4 min. 85% 1 min. 75%	5-10 min.
6	15 min.	5 min. 85% -5 5 min. 85% 5 min. 85% +5	10 min.
7	15 min.	5 min. 85% 5 min. 85% +5 5 min. 85% +10	10 min.

Voorbeeld: 80% + 5 wil zeggen: tel bij dit hartfrequentiebereik 5 hartslagen op.

Uw looptraining kunt u optimaal aanvullen door regelmatig de spieren te trainen die bij het lopen het meeste belast worden. Al snel zult u merken dat het lopen u steeds makkelijker afgaat, en dat u steeds lichter en harder zult lopen.

Krachttraining

voor lopers

Waar u bij de training op moet letten

Voor lopers zijn er vele goede redenen om naast de looptraining door regelmatige krachttraining hun lichaam nog eens extra fit te houden:

- Meer spieren verbranden meer energie, ook in rust.
- U voorkomt rugklachten.
- Er treedt een verbetering op bij het opvangen van de schokbelasting tijdens lopen.
- Het is een optimale compensatietraining voor lopers.
- U voorkomt letsels en overbelasting.

Hieronder geven wij u de beste en meest effectieve oefeningen voor lopers. Voordat u hiermee begint, de volgende tips:

Zo is het goed!

1. Train tweemaal per week.
2. Voer het zogenaamde krachtcircuit uit, d.w.z. u begint met de eerste oefening en gaat met de volgende verder zonder te pauzeren, enz.
3. Als u iedere oefening een keer gedaan hebt, pauzeert u één minuut.
4. Wissel de oefeningen zodanig af dat u één bepaalde oefening 15 tot 20 keer herhaalt.
5. De afwisselingsmogelijkheden worden aangegeven in de beschrijving van de oefening.
6. Voor veel oefeningen moet u een gymnastiekbal gebruiken. Probeer er dus ergens een op de kop te tikken.
7. Oefen niet als u ergens pijn hebt. Stop met oefeningen die de pijn verergeren.
8. Let er tijdens een oefening op dat de spiergroep die u traint steeds aangespannen moet blijven. Pauzeer niet en ontspan de spieren pas als de oefening gedaan is!
9. Voer alle oefeningen langzaam uit. Tel 21, 22, ...
10. Oefen nooit in een snel tempo.
11. Houd uw adem niet in en vermijd hyperventilatie.

Omdat beginnende lopers een verhoogd risico lopen op blessures is het zeker aan te bevelen om aanvullend krachtoefeningen te doen.

De voorkant van het dijbeen

De eerste oefening van het circuit traint vooral de voorkant van de dijbenen. Dit is de belangrijkste spiergroep bij de opvang van het lichaamsgewicht. Als deze te zwak is dan kan dit problemen aan het enkelgewricht, de knie, de heupen of de wervelkolom tot gevolg hebben.

Beginhouding: Ga tegen de muur staan terwijl u met uw rug een gymnastiekbal tegen de muur klemt. U staat op het linkerbeen, de knie licht gebogen. Breng het rechterbeen langzaam naar achteren totdat uw voetzool de wand raakt.

Eindhouding: Buig nu langzaam door uw knieën totdat uw rechterknie de grond net niet raakt. Houd de gymnastiekbal hierbij steeds met uw onderrug tegen de muur geklemd. Dan komt u langzaam weer overeind, maar zonder uw linkerknie helemaal te strekken. Herhaal deze oefening met het andere been.

Variaties: De oefening is makkelijker als u uw knie niet helemaal buigt. U maakt de oefening zwaarder door een elastieken band in uw hand te houden en deze onder uw linkervoet te bevestigen.

Voer de oefening correct uit om de wervelkolom en gewrichten niet te overbelasten. Kwaliteit gaat boven kwantiteit.

De achterkant van het dijbeen

De tweede oefening is een oefening voor de achterkant van uw been. Voor het krachtevenwicht in de knie is deze oefening even belangrijk als de voorgaande. Bij menig geoefende loper zijn de spieren van de achterkant van het been relatief te zwak in verhouding tot de voorkant. Regelmatig trainen voorkomt knieproblemen.

Beginhouding: Ga op uw rug op de grond liggen, de armen naast het lichaam. Leg het rechteronderbeen op de gymnastiekbal en til uw bekken op zodat schouders, heupen en knieën één lijn vormen. Buig uw linkerbeen en breng de knie in de richting van uw gezicht.

Houd tijdens de oefening de beenspieren aangespannen en let erop dat uw bewegingen langzaam en gelijkmatig zijn.

Eindhouding: Beweeg nu de gymnastiekbal naar uw billen, maar zonder dat de bal deze raakt. Als u uw evenwicht verliest, breng dan uw armen wat verder van uw lichaam af zodat u stabiel ligt. Herhaal deze oefening met het andere been.

Variaties: De zwaarte van deze oefening kunt u beïnvloeden door de grootte van de beweging. Als u het been niet helemaal tot uw billen brengt wordt deze oefening aanzienlijk makkelijker. Duidelijk zwaarder wordt ze als u uw armen gekruist houdt op uw borst. Deze variatie is zelfs voor de goed getrainde profs een uitdaging.

De rugspieren

Deze oefening is vooral gericht op de spieren van de onderrug, waarbij tegelijkertijd de bil- en schoudergordelspieren worden getraind. Ook de dieper gelegen rugspieren worden door de beweeglijke ondergrond getraind. Als u gauw last hebt van rugklachten, voeg deze oefening dan vanaf nu toe aan uw dagelijkse trainingsprogramma, en uw klachten zullen weldra tot het verleden behoren.

Rug en hals moeten bij deze oefening een rechte lijn vormen.

Beginhouding: Ga op de gymnastiekbal liggen, waarbij vooral uw bekken en uw bovenbenen de draagvlakken zijn. Steun met uw voetzolen tegen de muur. Breng uw handen zijdelings naar uw hoofd. Kijk niet naar voren, maar naar beneden.

Eindhouding: Hef uw bovenlichaam op zonder uw wervelkolom te overstrekken. Hiel, heup en schouder moeten één lijn vormen. Laat daarna uw bovenlichaam zakken en houd de rugspieren daarbij steeds licht aangespannen.

Variaties: De oefening is makkelijker als u de armen naast uw bovenlichaam gestrekt houdt. U maakt de oefening moeilijker door een gevulde fles water achter uw hoofd te houden.

De buikspieren

Dit is de klassieke oefening onder de buikspieroefeningen: eenvoudig en effectief. Tweemaal per week volgens het voorgeschreven aantal herhalingen, en rugpijn zal weldra tot het verleden behoren. De buikmusculatuur is als tegenhanger van de rugspiergroepen medeverantwoordelijk voor de stabiliteit van de wervelkolom. Ook hier moet u ervoor zorgen dat u werkt zonder vaart. De kracht komt uit de buik.

Belangrijk is een juiste ademhaling. Adem uit bij het optillen van het bovenlichaam (spieraanspanning), adem in bij het laten zakken van het bovenlichaam (spierontspanning).

Beginhouding: Ga op uw rug liggen en buig de knieën. Trek uw tenen op in de richting van uw gezicht. Strek uw armen voor u uit, terwijl u met uw hoofd in het verlengde van uw wervelkolom blijft. Maak een dubbele kin om uw hoofd te stabiliseren.

Eindhouding: Breng uw bovenlichaam naar voren, en houd uw onderrug hierbij op de grond. Houd bij het terugrollen de buikspieren steeds aangespannen.

Variaties: De oefening wordt zwaarder als u uw armen op uw borst, respectievelijk achter uw hoofd, legt. Profs houden de benen in een rechte hoek, de bovenbenen verticaal, de onderbenen horizontaal.

De schouderspieren

Deze oefening oefent vooral de spieren boven in de rug en in de schoudergordel. Deze spiergroepen zorgen ervoor dat u in de schouderstreek ook bij lange afstanden los blijft. Daarbij zult u ook minder problemen krijgen in de streek van de hals- en borstwervels.

Met deze oefening oefent u behalve de schoudergordel ook de rug- en bilspieren.

Beginhouding: Ga op uw buik liggen. Til uw bovenlichaam licht op en buig uw armen, terwijl uw ellebogen steeds op schouderhoogte blijven. U houdt uw gezicht naar beneden. Maak een dubbele kin. Draai uw voeten iets naar buiten.

Eindhouding: Strek langzaam uw armen naar voren uit. Let erop dat u uw bovenlichaam tijdens de hele beweging aangespannen houdt. Trek uw schouderbladen naar elkaar toe terwijl u uw armen weer in de uitgangspositie brengt.

Variaties: U kunt de oefening verzwaren door in iedere hand een boek of een vergelijkbaar voorwerp te houden en tegelijkertijd uw benen iets van de grond te tillen. Dit traint gelijktijdig de bilspieren mee.

Profs kunnen een stok in beide handen vasthouden. Breng deze voorzichtig over het hoofd bij het terugbewegen van de armen.

De borstspieren

De laatste oefening van uw krachtcircuit traint de borstspieren en de achterkant van de bovenarmen: spiergroepen die bij lopers dikwijls onderontwikkeld zijn. Ook doen de buikspieren mee bij het stabiliseren van de romp. Deze oefening kunt u zowel met als zonder elastisch gymnastiekband uitvoeren.

Beginhouding: Steun op knieën en handen, zodanig dat knieën, heupen en schouders één lijn vormen. De handen zijn licht naar binnen gedraaid. Als u bij deze oefening het gymnastiekband gebruikt, leg dit dan over de schouderbladen en houd het onder uw handen. Houd uw hoofd recht, en kijk naar de grond.

Bij deze oefening kunnen gevorderden proberen alleen op de teentoppen te steunen.

Eindhouding: Breng nu langzaam uw bovenlichaam naar beneden zonder de grond te raken. Buig ellebogen en houd knieën, heupen en schouders in één lijn. Span de buikspieren aan om een holle rug te voorkomen.

Variaties: De belasting verhoogt u door de spanning van de elastieken band te vergroten. De oefening wordt extra zwaar als u niet op uw knieën, maar op uw tenen steunt. U moet deze oefening wel minstens 15 keer kunnen herhalen.

Hoewel de meeste mensen verrassend goed geïnformeerd zijn over gezonde voeding, eten wij uiteindelijk toch vooral wat wij lekker vinden – en dat is dikwijls allesbehalve gezond! Als u gaat lopen zal dit veranderen. U hebt dan plotseling geen behoefte meer aan zware vleesgerechten, maar aan een bord pasta. Het favoriete voedsel van lopers is – verbazend genoeg – ook juist datgene wat ons door voedingsdeskundigen wordt aangeraden.

Voeding

voor lopers: kwaliteit bo- ven kwantiteit

Voor een gezonde voeding geldt slechts één regel: kwaliteit boven kwantiteit! We bekijken daarom de verschillende voedingsstoffen eens vanuit dit gezichtspunt.

Vuistregel 1: drinken

Het menselijk lichaam bestaat voor 70 procent uit water. Terwijl u drie weken zonder vast voedsel zult overleven, houdt u het zonder water niet langer dan drie dagen uit. Ook niet-sporters moeten dagelijks minstens 1,5 liter drinken.

Voor u als loper is de behoefte aan vocht nog groter, omdat u transpireert tijdens het lopen. Als u voor en na het lopen op de weegschaal gaat staan en u blijkt bijvoorbeeld een halve liter vocht verloren te hebben, moet u de dubbele hoeveelheid drinken om dit tekort weer aan te vullen. Want uw lichaam kan immers niet al het vocht dat u drinkt daadwerkelijk opnemen. Drink daarom regelmatig over de hele dag verspreid, nog voordat u dorst krijgt, want dan is het te laat.

Een goede drank voor lopers is verdund appelsap in een verhouding van 1:2 tot 1:3 (appelsap/mineraalwater). Daarin zit alles wat u nodig hebt, vooral kalium en magnesium (dit varieert per soort mineraalwater).

Lopers moeten veel drinken: minstens 2 liter per dag!

Het ene vet is het andere niet

Bij vetten onderscheiden we twee soorten: plantaardige en dierlijke vetten. Beide soorten zijn calorierijk en mogen niet meer dan 25 tot 30 procent van het totale aantal calorieën per dag uitmaken. De werkelijke boosdoeners zijn de zogenaamde verzadigde vetzuren. Deze vetten ontstaan bij de industriële fabricage van bepaalde voedingsmiddelen.

Kant-en-klare producten zoals de praktische diepvriespizza, hoogverhitte melkproducten, chips, frieten of braadvetten – al deze levensmiddelen bevatten verzadigde vetzuren die medeverantwoordelijk zijn voor het ontstaan van hart- en vaatziekten en waar-

Verzadigde vetzuren zijn aanwezig in industriële voedingsmiddelen en zouden zo veel mogelijk vermeden moeten worden.

schijnlijk ook voor kanker. Beperk de inname van deze vetten daarom tot een minimum!

Het beste wat u kunt doen om 120 jaar te worden is het aantal vetcalorieën halveren. Let daarentegen op hoogwaardige plantaardige vetten zoals olijfolie, of het vet dat in vis voorkomt. Dit zijn vetten die niet of nauwelijks bewerkt worden en die goed zijn voor uw gezondheid. Het lichaam maakt uit deze vetten noodzakelijke hormonen, transporteert er vetarme vitaminen mee, en beschermt onze zenuwen en bloedvaten.

In zuidelijke landen doen ze het ons voor. Vooral op Kreta worden mensen stokoud. De oorzaak hiervan is het hoge gebruik van olijfolie en vis.

Vetzuren zoals in boter, eieren of kaas dragen door hun calorierijkdom bij aan de te grote calorielevering ten opzichte van het verbruik, met als gevolg overgewicht.

Van belang is niet alleen hoeveel vet, maar vooral welke soort vet u inneemt.

De beste vetbronnen voor lopers

Koudgeperste olijfolie	Het geheim uit de mediterrane keuken. Als u regelmatig olijfolie in uw voeding gebruikt, daalt het risico op hart- en vaatziekten aanzienlijk omdat olijfolie de cholesterolspiegel verlaagt.
Visolie	300 gram zalm, haring, sardientjes of tonijn per week eten is vooral door de aanwezigheid van visolie heel gezond.
Amandelen, noten	De onverzadigde vetzuren in noten beschermen tegen hart- en vaatziekten. Vooral amandelen, walnoten en paranoten bevatten veel vitamine E dat de cellen beschermt tegen de schadelijke vrije zuurstofradicalen.
Overige gezonde vetbronnen	Zonnebloem-, soja- en distelolie, met mate ook boter (veel beter dan margarine), kaas en eieren.

Koolhydraten – **turbo voor lopers**

Gelooft u nog steeds in het sprookje dat koolhydraten dikmakers zijn? Koolhydraten veroorzaken geen overgewicht, maar zorgen voor uw snelheid en uithoudingsvermogen tijdens het lopen. Maar u moet natuurlijk wel op de kwaliteit van uw voedsel letten. Neem daarom vooral volwaardige koolhydraten. Deze bevatten alle belangrijke vitaminen, mineralen en sporenelementen. Zo'n 55 tot 60 procent van uw dagelijkse energiegebruik moet komen uit koolhydraten. Als u koolhydraten mijdt, hebben uw prestatievermogen en uw immuunsysteem daaronder te lijden.

Fruit, groente, volkorenpasta of ongepelde rijst zijn goede energiebronnen voor lopers.

Zorg er daarom voor dat u altijd één uur voor uw training nog een koolhydraatrijke snack neemt. De (rijpe) banaan is de beste turbo voor lopers. Ook na afloop van de training moet u tijdig koolhydraten nemen. Dit versnelt het herstel na het lopen.

De beste koolhydratenbronnen voor lopers

Muesli	Rijk aan koolhydraten. In combinatie met fruit, melk of yoghurt, levert muesli voor de lopersmaag tevens veel belangrijke vitaminen, mineralen en vezels. Een groot voordeel: het is in 5 minuten klaar.
Pasta	De koolhydratenbron bij uitstek! Pastaparty's zijn onder lopers al traditie geworden. Honderd gram pasta bevat ongeveer 70 gram koolhydraten.
Rijst	Bevat bijna evenveel koolhydraten als pasta. Bruine rijst bevat tevens veel magnesium, belangrijk voor de spieren en de zuurstofvoorziening.
Volkorenbrood	Volkorenbrood is koolhydraatrijk en levert behalve zink en magnesium ook veel B-vitaminen.

Eiwit – de bouwstof

Eiwit is de stof waaruit de spieren opgebouwd zijn, het is het geraamte van onze cellen. In ons lichaam vindt een voortdurend opbouw- en afbraakproces plaats: spieren, huid, hormonen, het afweersysteem: er is geen deel in ons lichaam dat van dit proces is uitgesloten. Eiwit is hiervoor essentieel. Lopers hebben een verhoogde behoefte omdat er door die training meer opbouwprocessen plaatsvinden. Een simpel voorbeeld voor een vergrote eiwitbehoefte is spierpijn. Deze kleine blessures moeten na de training hersteld worden, en de bouwstof daarvoor is eiwit. Vijftien procent van de dagelijkse hoeveelheid energie moet bestaan uit eiwit. Daarbij moet extra voorzien worden in de belangrijkste aminozuren, los van de voeding. Een aantal aminozuren kan het lichaam zelf niet maken. Alle onderstaande hoogwaardige eiwitproducten bevatten essentiële aminozuren.

De combinatie van vetloze vis met aardappelen verbetert de eiwitopname in uw lichaam.

Door een verstandige combinatie van voedingsmiddelen wordt de biologische voedingswaarde versterkt. Deze factor geeft aan hoeveel lichaamseiwit uit 100 gram voedingseiwit gemaakt kan worden. De volgende combinaties hebben een bijzonder hoge biologische voedingswaarde: bonen met maïs, melk en tarwe, ei en tarwe, ei en melk, ei en aardappelen.

De beste eiwitbronnen voor lopers

Vis	Combineer vetarme vissoorten zoals koolvis, schelvis, forel of kabeljauw met aardappelen.
Peulvruchten	Linzen, erwten en bonen leveren hoogwaardig, nagenoeg vetloos, eiwit.
Gevogelte	Kip of kalkoen zijn een uitstekende eiwitbron. Verwijder wel vooraf het vel, omdat daaronder het vet verstopt zit.
Soja	Dit is een van de beste eiwitbronnen buiten vlees, rijk aan calcium en verschillende B-vitaminen.

Vitaminen en mineralen voor lopers

Voldoende mineralen zijn voor lopers bijzonder belangrijk omdat vooral kalium en magnesium een belangrijke rol spelen bij de spierfunctie.

Vitamine	Functie	komt voor in
Vitamine B-complex	is belangrijk voor energielevering in de spiercellen; helpt bij zuurstoftransport; belangrijk bij de spieropbouw.	graanproducten, vis, vlees, peulvruchten, melkproducten
Vitamine C	versterkt het immuunsysteem; vangt vrije radicalen waarvan de productie door intensieve training verhoogd is; voorkomt obstructies in de bloedvaten.	vers fruit en groente; vooral in rode paprika, broccoli, kiwi
Vitamine D	wordt door zonnestraling in de huid gevormd; belangrijk voor de spierwerking en het immuunsysteem.	melkproducten, eigeel, zeevis
Vitamine E	maakt vrije radicalen onschadelijk; versterkt het immuunsysteem, voorkomt cholesterol.	plantaardige olie, noten, graanproducten

Mineraal	Functie	komt voor in
Kalium	reguleert de vochthuishouding; belangrijk voor de spierfunctie en de opslag van koolhydraten in de spieren.	appels, bananen, sinaasappels, groenten
Magnesium	belangrijk voor het samenspel tussen zenuwen en spieren; essentieel voor de zuurstofvoorziening van de spiercellen.	groene groenten, volkorenproducten, noten

Bepaalde vitaminen kan het lichaam niet zelf maken. Als loper is het belangrijk dat u let op een voldoende inname van de hiernaast genoemde vitaminen.

Sporenelementen voor lopers

Uit de tabel kunt u aflezen welke voedingsmiddelen voldoende sporenelementen bevatten.

Sporen-elementen	Functie	komen voor in
Chroom	speelt een rol bij de vetverbranding en de opname van koolhydraten in de spiercellen; belangrijk voor de regulering van de bloedsuikerspiegel	kaas, cacao, volkorenproducten, vlees
IJzer	belangrijk voor het zuurstoftransport in het bloed en voor de energieopname	rood vlees, groene groenten, graanproducten
Jodium	is bestanddeel van de schildklierhormonen; zorgt voor de energieproductie in de spiercellen	zeevis, jodiumhoudend keukenzout
Selenium	beschermt de cellen tegen vrije radicalen	vis, vlees, volkorenproducten, soja
Zink	versterkt het immuunsysteem; belangrijk bij de spieropbouw	vis, vlees, volkorenproducten

Hebt u voedingssupplementen nodig?

Een normaal, gezond persoon heeft géén behoefte aan voedingssupplementen. Voordat u willekeurig alle mogelijke vitaminen gaat slikken, informeert u zich bij uw geneesheer. Uit een eventuele bloedanalyse kan hij afleiden of er sprake is van een deficiëntie. Enkel en alleen op dat ogenblik is het nuttig de ontbrekende stof aan te vullen. Geloof niet blindelings de slogans van de middelen die in de supermarkt te koop zijn.

4-weken-trainingsplanner

Onderstaande tabellen geven u een overzicht van de betreffende wekelijkse trainingstaken over een periode van vier weken.

Week	Lopen			Kracht		
	Tijd	Duur	Pols	Oefening nr.	Serie	Herha-lingen
ma						
di						
wo						
do						
vr						
za						
zo						
Totaal						

Week	Lopen			Kracht		
	Tijd	Duur	Pols	Oefening nr.	Serie	Herha-lingen
ma						
di						
wo						
do						
vr						
za						
zo						
Totaal						

Week	Lopen			Kracht		
	Tijd	Duur	Pols	Oefening nr.	Serie	Herha- lingen
ma						
di						
wo						
do						
vr						
za						
zo						
Totaal						

Week	Lopen			Kracht		
	Tijd	Duur	Pols	Oefening nr.	Serie	Herha- lingen
ma						
di						
wo						
do						
vr						
za						
zo						
Totaal						

Register

Impressum

De auteurs

Christof Baur en Bernd Thurner zijn gediplomeerde
sportdocenten voor preven-
tie en revalidatie. Beiden zijn
werkzaam in het Centrum
voor Therapie en Training in
Friedberg/Augsburg in Duits-
land.

Foto's

gettyone Stone/C. Craymer
blz. 2; The Stock Market/Pete
Salontos blz. 2/ Michael Kel-
ler blz. 20/George Shelley
blz. 24/Javier Pierini blz. 26;
Silvia Lammertz, München
blz. 46-51; alle overige: Pho-
toDisc

Original title: *15-Minuten-
Lauftraining für einen Su-
perbody*
First published by Midena
Verlag, München
© MMI Weltbild Ratgeber
Verlage GmbH & Co. KG
All rights reserved.
© Zuidnederlandse Uitgeverij
N.V., Aartselaar, België, MMII.
Alle rechten voorbehouden.

Deze uitgave door: Deltas,
België, Nederland.
Nederlandse vertaling: Petra
Gielissen
D-MMII-0001-251
Gedrukt in de EU
NUR 480
NUGI 466